Made in the USA
Columbia, SC
07 April 2022

58630842R00061